D1408137

[CORNAC]

5, rue Sainte-Ursule
Québec (Québec) G1R 4C7
info@editionscornac.com

Illustrations: Tiago Americo
Infographie: Marie Leviel
Édition: Marie-Eve Jeannotte
Révision: Élyse-Andrée Héroux, Maude Schiltz
Correction: Élaine Parisien
Impression: Lebonfon inc.

Distribution:
Prologue
1650, boul. Lionel-Bertrand
Boisbriand (Québec) J7H 1N7
Téléphone: 450 434-0306
              1 800 363-2864
Télécopieur: 450 434-2627
              1 800 361-8088

Distribution en Europe:
D.N.M. (Distribution
du Nouveau Monde)
30, rue Gay-Lussac
F-75005 Paris, France
Téléphone: 01 43 54 50 24
Télécopieur: 01 43 54 39 15
www.librairieduquebec.fr

Les éditions Cornac bénéficient du soutien financier du gouvernement du Québec — Programme de crédit d'impôt pour l'édition de livres — Gestion SODEC et sont inscrites au Programme de subvention globale du Conseil des Arts du Canada.
Nous reconnaissons l'aide financière du gouvernement du Canada par l'entremise du Fonds du livre du Canada (FLC) pour nos activités d'édition.

Société
de développement
des entreprises
culturelles
Québec

Conseil des Arts   Canada Council
du Canada   for the Arts

Vivi et les cadeaux

Tome 1
Un souper d'enfer!

Texte de Paule Corriveau
Illustrations de Tiago Americo
D'après une idée de Michel Brûlé

Chère Alexia,

la vie est un cadeau,
ton joli sourire aussi!

Paule Corriveau
Salon du livre de l'Outaouais
2014

De la même auteure

Romans jeunesse

- *Vivi et les cadeaux tome 2, Le cas dauphin*, Québec, Cornac, 2012, 128 p.
- *Vivi et les cadeaux tome 3, La pêche mathématique*, Québec, Cornac, 2012, 120 p.

Romans adulte

- *Sœurs de sang tome 1, Plier sans rompre*, Montréal, Les éditions Michel Brûlé, 2011, 360 p.
- *Sœurs de sang tome 2, Croire sans voir*, Montréal, Les éditions Michel Brûlé, 2011, 344 p.
- *Sœurs de sang tome 3, Donner sans compter*, Montréal, Les éditions Michel Brûlé, 2012, 392 p.

vivi et les cadeaux 1

Un souper d'enfer !

Chapitre 1

Comment la vie n'est pas juste

Dans les marges de son cahier, Vivi avait dessiné une vingtaine d'étoiles. Elle s'imaginait maintenant en train de traverser l'espace sur le dos d'une comète. La Terre avait l'air d'un gros ballon bleu brillant. Bientôt, elle...

— **Valérie Fortin !**

Vivi releva brusquement la tête en entendant son nom. Aussi rigide qu'une statue, elle jeta des coups d'œil à ses voisins de classe, au cas où ils lui glisseraient la réponse. Sa professeure de maths attendait en tapant la craie dans sa main.

— **Oui, madame Marcotte ?**

— Je t'ai demandé la solution de l'équation au tableau.

Vite ! Vite ! Vivi calcula dans sa tête.

— **Vingt-trois !**

— **Bien,** mais sois plus attentive.

— À quoi ?

Valérie Fortin !!

Madame Marcotte ouvrit grand les bras, comme si elle voulait que Vivi contemple l'ensemble de son œuvre.

— **Au cours, Valérie !** **Au cours !**

La professeure reprit son exposé. Peu à peu, Vivi retomba dans ses rêveries. La cloche sonna la fin de la période et la jeune fille rangea ses cahiers.

— Valérie, viens me voir.

Madame Marcotte, l'air soucieuse, regarda son élève s'approcher. **À treize ans, Valérie venait de perdre sa mère.** La professeure comprenait qu'elle soit triste et rêveuse. Mais cette situation durait depuis près d'un mois, et cela empirait de jour en jour. **La jeune fille solitaire au visage pâle et** aux yeux cernés n'avait rien en commun avec la Valérie Fortin **vive** et **allumée** du début de l'année. Elle n'arriverait pas à surmonter son chagrin toute seule, madame Marcotte en était convaincue.

Vivi replaça une mèche de ses cheveux roux derrière son oreille et se planta devant son enseignante préférée. Elle allait sans doute lui faire un sermon, encore une fois. Elle lui rappellerait toutes les raisons pour lesquelles les mathématiques s'avéraient indispensables, depuis la préhistoire jusqu'à nos jours. C'était inutile, Vivi n'avait le cœur à rien ces temps-ci.

Madame Marcotte attendit que tous les élèves aient quitté la classe avant de lui parler.

— **Vivi, je m'inquiète pour toi,** dit-elle. Depuis le décès de ta maman, tu es de plus en plus triste. **Tu es dans la lune, tu fais tes devoirs à moitié.** Tu étais la meilleure de la classe, mais si tu continues comme ça, tu vas échouer mon cours. C'est normal d'avoir de la peine quand on perd quelqu'un qu'on aime, mais là, je crois que tu as besoin d'aide. J'ai parlé de toi à madame Pelletier, elle pourrait te rencontrer demain.

— **Rencontrer la psychologue ?! Moi ? !** s'exclama Vivi. Mais voyons, je ne suis pas folle !

— **Bien sûr que non, Valérie!**
Si tu avais un bras cassé, tu irais voir un médecin, non?

— Oui.

— **Quand on a le cœur brisé, c'est un psychologue qu'on va voir.**

— Je n'ai pas besoin d'une psy!

— Je pense que oui. J'en ai discuté avec ton père...

— Vous avez parlé à mon père?!

— Oui, et lui aussi pense que c'est une bonne idée. Tu rencontreras madame Pelletier à quelques reprises, c'est tout...

— Je n'irai pas. Vous n'aviez pas le droit d'en parler à mon père!

— J'en ai le droit, parce que je t'aime et que je m'inquiète pour toi.

Vivi soupira de rage et quitta le local en martelant le sol de ses pas. Elle n'irait pas voir de psy, ça non, il n'en était pas question.

Chapitre 2

Comment un père peut être sourd même s'il a une très bonne ouïe

Le soir, lorsque son père rentra du travail, Vivi l'épia pour évaluer son humeur. Madame Marcotte lui avait-elle vraiment parlé? **Son père avait-il accepté qu'elle voie la psy? Ou avait-il seulement dit qu'il y penserait?** Si seulement elle l'avait su, elle aurait pu mieux planifier sa défense. De toute façon, durant la journée, elle avait trouvé des tas d'arguments pour le convaincre qu'elle n'avait pas besoin d'aide.

Du coin de l'œil, elle suivit les mouvements de son père en faisant semblant de regarder la télé. Il ôta son manteau, puis ses bottes. Il les rangea dans le placard, regarda un peu l'émission en dénouant sa cravate, puis partit vers sa chambre pour enlever son costume et enfiler des vêtements plus confortables.

Il n'avait rien dit, juste un hochement de tête pour la saluer, comme d'habitude. *C'était bon signe, non?* pensait Vivi.

Il revint peu après, vêtu de jeans.

— Ta prof de maths m'a téléphoné au travail. Elle pense que tu devrais rencontrer la psy de l'école. Tu as rendez-vous demain à trois heures. **Ça va être bon pour toi.**

— **Papa, je n'ai pas besoin d'une psy, voyons ! Je vais bien !** fit-elle avec un large sourire.

— Tu ne vas pas bien, Vivi ; je le sais et tu le sais. Tu vas parler à cette madame Pelletier et ça va t'aider.

— Tu peux m'obliger à la voir, mais tu ne peux pas m'obliger à lui parler, en tout cas !

— **Très bien, ne lui parle pas. Tu n'auras qu'à l'écouter.**

Vivi poursuivit son père jusque dans la cuisine. Il ouvrit le congélateur et en sortit deux repas congelés : des raviolis sauce tomate.

— **Pas encore des raviolis !**

– Je croyais que tu aimais ça ?

– Oui, mais pas **trois fois** par semaine !

— **Oh ! OK.**

Il remit les raviolis au congélateur et prit **deux boîtes de pâtes Alfredo au poulet et au brocoli.** Vivi s'empêcha de justesse de râler : il lui avait préparé un sandwich au poulet et des brocolis crus pour dîner. Avec son père, il valait mieux choisir ses batailles. Si elle continuait de rouspéter contre les repas congelés, il ne bougerait pas sur la psy. C'était incroyable comme il pouvait se montrer têtu.

— **Voyons, papa, de quoi est-ce que je lui parlerais de toute façon ?** Du cancer de maman ? Qu'est-ce que ça me donnerait ?

— Je ne sais pas. Tu demanderas ça à madame Pelletier.

— Je ne veux pas lui parler, alors je ne lui demanderai certainement rien !

— D'accord.

Il chauffa les plats au micro-ondes.

— Alors tu acceptes que je n'aille pas la voir?

— Non. Je dis simplement que tu n'as pas à lui parler si tu ne veux pas.

Il sortit le lait et lui en versa un verre. Vivi décida de passer au plan B.

— Et puis, ça va coûter cher... Et avec les frais d'enterrement de maman...

Le micro-ondes sonna.

— La psy, c'est gratuit. Le souper est servi.

Cette fois, Vivi fut incapable de se retenir:

— RAAAAAAAH!

Chapitre 3

Qui aurait l'idée idiote de donner des devoirs à quelqu'un parce qu'il est triste ?

À l'école, Vivi rejoignit sa meilleure amie, Véronique Tran, devant son casier. Tandis que Véronique enlevait son manteau épais et ses hautes bottes, Vivi lui raconta la dernière catastrophe qui lui était tombée sur la tête.

— **Je ne peux pas le croire !** s'exclama Véronique. **Une psy ?** Pourquoi ? Tu n'es pas folle !

— Je le sais bien! C'est ce que je me tue à expliquer à mon père depuis hier. Pas moyen de le faire changer d'avis : **il est têtu comme une mule !**

— Pauvre toi ! Ma petite sœur n'arrête pas de tousser à cause de sa grippe, mais ce n'est rien à côté de ça.

Les deux amies se dirigèrent vers leur salle de classe.

— Quand est-ce que tu la vois ?

— À trois heures.

— Je vais prier pour toi.

Vivi lança un regard en coin vers l'horloge de la classe. Dans deux minutes et dix secondes, on l'appellerait à

l'interphone*. Elle avait donné cent millions de raisons à son père pour ne pas rencontrer la psychologue, mais **il avait déclaré qu'elle irait pareil, point final!**

— Valérie Fortin est demandée au bureau du directeur.

Vivi sursauta en entendant son nom. Ses yeux bleus s'agrandirent d'inquiétude. D'une main qui tremblait un peu, elle replaça ses cheveux bouclés derrière ses oreilles.

Pour garder le côté confidentiel de la consultation, la secrétaire n'avait pas **mentionné*** de psy à l'interphone. Les spécialistes de l'école partageaient, à tour de rôle, un même petit local : le lundi, c'était l'orthophoniste ; le mardi, c'était madame Pelletier ; et ainsi de suite. Comme on était mardi et que **Patrick Tessier, le « bizarre » de l'école**, avait été appelé juste avant, toute la classe se doutait bien que ce n'était pas le directeur qu'elle allait rencontrer. **Les adultes prenaient vraiment les ados pour des idiots !**

Sa professeure de français l'encouragea du regard. Tout le monde savait que la mère de Vivi était morte du cancer quelques semaines plus tôt. Autour d'elle, les élèves chuchotaient. Elle détestait croiser leurs regards émus. Vivi sortit d'un pas lourd, les yeux rivés au sol. Elle aurait juste voulu que tout soit comme avant; pourquoi était-ce si difficile?

Une dame toute ronde l'attendait au secrétariat. Ses cheveux bruns bouclés tombaient légèrement sur ses épaules et **elle était habillée dans le plus pur style bio-granola**: robe longue fleurie, colliers en billes de bois et sandales en cuir **équitable*** comprises. À treize ans, Vivi, qui n'était pourtant pas grande pour son âge, était de la même taille qu'elle, mais trois fois plus mince.

— Bonjour Valérie, je m'appelle Françoise Pelletier. Je suis la psychologue de l'école. Je pense que madame Marcotte t'a prévenue qu'on avait rendez-vous aujourd'hui?

Vivi hocha la tête et la suivit jusqu'à son bureau. **La psy venait tous les mardis rencontrer les élèves en difficulté.** Parce que le père de

Vivi n'avait rien voulu entendre, elle faisait maintenant partie de ce groupe de nuls. **Elle bouillait de rage rien qu'à y penser!** Elle se demandait si elle pourrait jamais pardonner à sa prof de maths de l'avoir dénoncée à madame Pelletier.

Sur les murs verts, la seule décoration était **une affiche qui encourageait à faire du sport**. Sur le bureau, une tablette de papier, un stylo et un ordinateur. Il y avait un fauteuil à roulettes pour la psy et une chaise droite pour l'élève. **Vivi était un peu étonnée qu'il n'y ait pas de sofa.** Dans les films, le patient s'allongeait toujours sur un sofa pour raconter sa vie.

— Assieds-toi, Valérie, dit-elle. Comment vas-tu?

— Bien.

— Tant mieux. J'ai été désolée d'apprendre que ta maman est décédée. **Ça ne doit pas être facile pour toi.**

Vivi haussa les épaules et secoua la tête. Madame Pelletier commença par lui demander comment sa semaine s'était déroulée. Comme Vivi répondait par des grognements et des haussements d'épaule, la psy demanda:

— Tu ne voulais pas me rencontrer?

— **Je ne suis pas folle.**

— **Bien sûr que non!** Mais madame Marcotte s'inquiète pour toi. Tu ne participes plus en classe, tes notes baissent. Tu es distraite. C'est très difficile de perdre sa maman. C'est encore pire quand on est aussi jeune que toi.

— **J'étais juste fatiguée,** marmonna Vivi en regardant le plancher. J'avais un examen de maths à préparer.

— **Ah oui?** Comment ça s'est passé?

— …

— Si bien que ça, hein? C'est curieux parce que, d'habitude, tu es excellente dans cette matière.

— Comment savez-vous ça?

— Madame Marcotte me l'a dit.

— Ah! Madame Marcotte! fit Vivi en grimaçant.

— **Tu ne l'aimes pas?**

Vivi haussa les épaules.

— Elle est correcte.

— Quel est le problème alors ?

— C'est à cause d'elle que je suis ici.

— Je vois. Tu es fâchée parce qu'elle s'inquiète pour toi.

— ...

— **C'est idiot, dit comme ça, non ?** Peut-être que ce serait plus juste de dire que tu es fâchée parce que tu as des problèmes qui t'obligent à venir me consulter.

— **Je n'ai pas de problème ! Je vais très bien !** Je voudrais que tout le monde arrête de me dire le contraire !

— Très bien. Pourquoi es-tu dans mon bureau alors ?

— **Parce que j'y suis forcée!**

— **Par qui ? Par quoi ?** Quelqu'un t'a menacée? Tu es attachée à cette chaise par des chaînes?

Madame Pelletier s'étira le cou pour vérifier. Vivi serra les dents.

— Alors je peux partir?

— Oui.

Vivi se leva.

— Si tu ne veux pas me parler, je ne pourrai pas t'aider, nous perdrons notre temps. **Tu pourras revenir plus tard, quand tu te sentiras prête...**

Vivi avait la main sur la poignée de porte.

— **... ou quand tu ne pourras plus supporter** toute cette

peine, ajouta-t-elle doucement, toute cette douleur qui rend ton cœur si lourd que tu as du mal à respirer parfois.

Vivi soupira. Ses épaules tendues retombèrent. C'était vrai, ce que disait madame Pelletier, à propos de la peine qui prenait toute la place. L'adolescente tourna la tête vers elle, puis revint s'asseoir, la mine basse.

— **Il faut beaucoup de courage pour rester, Valérie.** Tu t'en rends compte à présent. Reconnaître qu'on a un problème, reconnaître qu'on n'est pas capable de le régler toute seule, ça prend du courage et de **l'humilité*** aussi. Je suis fière de toi.

— **Pourquoi ?**

— Parce que tu as subi une grande épreuve et que tu te bats très fort pour passer au travers.

La psy croisa les mains sur la table avant de continuer.

— Je n'ai pas de baguette magique ; **je ne peux pas te rendre ta maman.** Je ne peux pas non plus régler le problème à ta place. **Mais si tu es prête à faire des efforts, je suis prête à me battre à tes côtés pour t'aider à retrouver ta joie de vivre.**

Madame Pelletier la laissa réfléchir un instant. Elle sortit d'un tiroir de son bureau des biscuits au chocolat et en offrit à Vivi.

— **Est-ce que je peux faire quelque chose pour t'aider, Valérie ?**

— Non, fit Vivi en croquant son biscuit.

Il était drôlement bon. Si elle n'avait pas été aussi intimidée, elle en aurait demandé un autre.

— D'accord. C'est normal qu'il n'y ait rien qui te vienne à l'esprit lors d'une première rencontre. Nous allons nous revoir la semaine prochaine. **D'ici là, je vais te donner deux petits devoirs.**

— Deux devoirs ?! protesta Vivi.

— Petits devoirs, insista madame Pelletier en souriant. D'abord, je voudrais que tu répondes à cette question : **qu'est-ce que je peux faire pour t'aider ?** Et deuxièmement, j'aimerais que tu écrives **un journal de bord.**

La psychologue sortit un cahier à spirale avec un chaton sur la couverture.

— Aimes-tu les chats ? Sinon, j'en ai un avec un tournesol...

Vivi saisit le cahier sans un mot.

— J'aimerais que tu écrives **ce que tu ressens, ce que tu vis,** les choses tristes, les drôles, celles qui te fâchent : ce qui te passe par la tête, finalement. Tu m'écris quelques lignes chaque jour. Est-ce que tu veux faire ça ?

Vivi soupira, mécontente. Encore plus de devoirs. Merci, papa. Vraiment.

La cloche de la fin des classes sonna et Vivi se dépêcha de retourner à son casier, avant de rejoindre son autobus scolaire.

Chapitre 4

Comment un père peut à la fois parler à sa fille et ne rien lui dire

Le **silence** de la maison accueillit Vivi, comme chaque jour depuis que sa maman était morte. Son père n'arriverait du travail que deux heures plus tard. Elle s'affala devant la télévision sur le sofa moelleux, la télécommande à la main.

À son arrivée, son père déposa son porte-documents, puis enleva ses vêtements d'hiver, l'air préoccupé. Il remarqua finalement Vivi sur le sofa.

— Es-tu allée à ton rendez-vous avec la psy? demanda-t-il d'un ton sec.

— Oui.

— Tu la revois quand?

— Mardi.

Pour tout commentaire, son père alla se changer dans sa chambre avant de préparer le souper. Vivi se retourna vers la télé, et fit semblant de l'écouter. **Elle avait un petit peu espéré qu'il s'intéresserait à sa première séance de thérapie.** Mais non. Ces derniers temps, son père était soit sérieux, soit **maussade***.

Il était bien trop occupé pour faire attention à sa fille. Vivi saisit un coussin, le lança contre l'accoudoir et se laissa tomber de tout son long sur le sofa. **Elle aurait aimé que le canapé l'avale.**

Le soir, Vivi fit distraitement ses devoirs. En remettant ses livres dans son sac, **elle vit le cahier à spirale avec le chaton sur la couverture.** Après une brève hésitation, elle le sortit, l'ouvrit et écrivit dedans :

Mardi 17 janvier

Bon, madame Pelletier veut que j'écrive mes pensées et ce que je ressens.
Je ressens beaucoup d'ennui à écrire mes pensées. POINT FINAL !!!

Chapitre 5

Comment choisir entre le pire et... le moins pire

Le lendemain matin, Véronique attendait impatiemment Vivi dans la grande salle avant le début des cours.

— **Comment ça s'est passé avec la psy ?** demanda-t-elle aussitôt.

Ces temps-ci, Véronique se passionnait pour les dessins animés japonais. **Elle portait un chandail rayé noir et blanc, sur une jupe et un collant noirs.** Le règlement de l'école ne lui permettait malheureusement pas de teindre en mauve ses cheveux noirs, coupés au carré comme ceux de ses idoles.

Vivi n'avait pas son souci pour la mode et se contentait d'un jeans et d'un chandail bleu. Elle s'assit devant elle à la table et lui raconta en détail sa rencontre avec madame Pelletier.

— **Elle t'a donné des devoirs ? !** s'exclama Véronique, incrédule. Comme si on n'en avait pas déjà assez !

— **Moi, je veux retrouver ma vie d'avant et qu'on arrête de me parler de ma mère !**

— Oui, c'est trop triste autrement.

Véronique comprenait toujours tout.

— Qu'est-ce que tu vas faire, Vivi?

Elle haussa les épaules.

— Je n'ai pas le choix de continuer à voir madame Pelletier. Mon père ne veut rien entendre.

— **Qu'il y aille donc, lui, voir un psy !**

Elles échangèrent un sourire. Véronique avait le don de lui remonter le moral.

La semaine suivante, madame Pelletier raccompagnait Patrick « Bizarre » Tessier au bureau du directeur lorsque Vivi se présenta à son rendez-vous. L'adolescente détourna la tête quand il passa à côté d'elle. Elle n'avait rien contre les handicapés, **mais pas question qu'il croie qu'ils avaient quoi que ce soit en commun !** C'était la faute de madame Marcotte si elle était ici. Elle n'avait pas besoin d'une psy, elle.

Elles marchèrent silencieusement vers le local. Madame Pelletier invita Vivi à s'asseoir, puis elle prit place à son bureau.

— **Comment s'est passée ta semaine, Valérie?**

— Bien.

— Et à la maison, comment ça se passe?

— Bien.

— As-tu des frères et sœurs, Valérie?

— Non.

— Il y a seulement ton papa et toi?

— Oui.

— Qu'est-ce qu'il fait comme travail?

— Représentant en assurances.

— Il voyage beaucoup?

— Avant, oui, mais il a demandé à travailler dans un bureau pour pouvoir s'occuper de maman.

— Je comprends. Comment ça se passe avec lui? **Vous vous entendez bien?**

— Quand il ne m'oblige pas à voir une psy, ça va.

Madame Pelletier accepta la remarque mordante avec un sourire.

— Parle-moi de ta maman : **vous vous entendiez bien, toutes les deux?**

— Oui.

— Est-ce qu'elle travaillait?

— Elle était la propriétaire de la boutique de cadeaux de la rue Lindsay.

— Celle qui s'appelle Présents passés et futurs?

Vivi hocha la tête.

— Elle voulait que tous ses clients trouvent un cadeau à leur goût. Elle vendait des chocolats, des savons, des trucs pour la cuisine, des jouets pour les bébés, des bijoux, des antiquités, des gadgets rigolos, des bibelots en cristal… Toutes sortes de choses. De belles choses!

— Wow! Tu es fière d'elle, de ce qu'elle avait créé, on dirait.

— **Elle aimait deviner le cadeau idéal pour chaque personne.** C'était comme un jeu pour elle.

46

— C'était quelqu'un de généreux.

— Oui.

— Sa générosité lui donnait de la joie et elle répandait cette joie autour d'elle.

Vivi hocha la tête.

— Son décès doit laisser un grand vide dans ta vie... **As-tu pensé à ce que je pouvais faire pour t'aider ?**

— Il n'y a rien.

— Très bien. As-tu écrit dans ton journal de bord ?

Vivi hocha la tête et le lui tendit. Madame Pelletier lut les deux phrases en faisant la moue.

— **Tu ne t'es pas beaucoup forcée...** Je sais qu'au début ça peut être ennuyeux, Valérie. Mais à la longue, tu verras, **c'est comme si tu enfermais ta tristesse et ta colère entre les pages du cahier.** Tu vas te sentir un peu plus légère après, je te le promets.

— OK.

— Et continue de penser à ce que je pourrais faire pour t'aider, même si ce n'est pas grand-chose.

— **OK.**

— **À mardi !**

Mercredi 25 janvier

Raviolis congelés pour souper.
Je n'en peux plus !

Lundi 30 janvier

Raviolis congelés pour souper. Je crois que si on en mange encore une seule fois cette semaine, je vais HURLER!

Le mardi matin, Vivi bondit hors du lit aussitôt éveillée. **Elle avait rendez-vous avec madame Pelletier dans l'après-midi, mais n'avait pas la moindre envie de la rencontrer.** Elle marcha avec détermination vers la chambre de son père. Le tapis moelleux absorba le bruit de ses pas décidés. Elle dirait à son père qu'elle se sentait un peu fiévreuse et qu'elle n'irait pas à l'école ce jour-là.

Mais lorsqu'elle arriva dans le cadre de la porte de la chambre de son père, **les mots s'étranglèrent dans sa gorge.** Son père était assis sur le côté du lit qui n'était pas défait, le côté que sa maman avait eu l'habitude d'occuper. **Il avait la tête penchée, les épaules rentrées.** Sa main était appuyée sur l'oreiller, comme s'il parlait à sa femme en pensée, qu'il lui demandait de la force ou des conseils. À propos de leur fille sûrement.

Le cœur serré, la gorge nouée, Vivi le regarda, immobile. Avec toutes ses sautes d'humeur, elle lui faisait de la peine, lui qui en avait déjà tellement. Jamais maman n'aurait voulu qu'ils se disputent ainsi. Elle aurait trouvé les mots, la façon de les réconcilier.

Vivi ne savait pas quoi faire. Elle s'avança, hésitante. Son père sursauta, puis s'essuya **furtivement*** les yeux.

— Dépêche-toi de t'habiller, Vivi, ou on va être en retard.

Vivi tourna les talons et repartit à sa chambre, triste et découragée.

Chapitre 6

Pourquoi offrir un cadeau, c'est pas un cadeau !

Finalement, Vivi n'était pas fâchée de rencontrer madame Pelletier. Elle manquerait son cours de géographie, qu'elle détestait encore plus que ses rencontres avec la psy. **Le professeur, monsieur Désilets, était ennuyeux comme la pluie** et, pour lui, toutes les raisons étaient bonnes pour parler des **gaz de schiste***. Pollution des eaux? Gaz de schiste! Droits des Amérindiens? Gaz de schiste! Mot de deux cent quarante-trois points au Scrabble ? « **Gazdeschiste** » !

En plus, Vivi s'était bien préparée. Madame Pelletier verrait qu'elle n'avait pas besoin de son aide et qu'elle pouvait très bien se débrouiller toute seule.

Aussitôt entrée dans le local, elle s'assit sur la chaise.

— J'ai un cadeau pour vous, madame Pelletier.

— **Pour moi ?**

Vivi lui tendit un pain de savon Dove. La psychologue hésita avant de le prendre.

— **Merci, Valérie.** Qu'est-ce qui me vaut cet honneur?

— Je voulais vous montrer que vous aviez tort. La mort de ma mère n'a pas laissé de vide dans ma vie.

— **Ah non?**

— Non. Je suis capable d'être aussi généreuse qu'elle.

— Je vois.

— Moi aussi, je peux donner le cadeau idéal.

— J'en suis sûre.

Vivi s'arrêta, serra les lèvres.

— Vous ne pouvez pas dire le contraire. Tout le monde a besoin de savon...

— C'est vrai. C'est très utile.

Les yeux fixés sur la barre de savon, Vivi fit la moue. Elle se laissa retomber contre le dossier de sa chaise et soupira.

— **Non.** C'est nul comme cadeau.

— **Non, c'est gentil d'y avoir pensé, Valérie...**

— **Mais c'est nul comme cadeau. Ma mère ne vous aurait jamais donné ça.** Elle aurait cherché le cadeau idéal pour vous.

— Comment s'y serait-elle prise?

Vivi dut y réfléchir un moment. Elle avait souvent flâné à la boutique avec sa mère. Mais c'était si naturel pour sa maman de guider les clients dans leur choix que Vivi n'y avait jamais vraiment prêté attention.

— Elle posait des questions pour connaître les goûts de la personne, si elle jouait au golf ou aimait le café, des trucs comme ça.

— Pour pouvoir offrir quelque chose de plus personnel. On ne se connaît pas bien, toi et moi, Valérie. Ça t'aurait été difficile de me donner un cadeau idéal dans...

— **Mais j'aimerais en être capable !** C'était tellement facile pour maman et je voudrais...

Vivi repensa à son père, assis sur le lit ce matin-là, à sa tristesse infinie.

— ...Oui ?

Vivi ravala les larmes qui lui étaient montées aux yeux.

— Je voudrais que maman soit toujours là. **Au moins cette partie-là d'elle.**

Madame Pelletier croisa les mains sur son bureau.

— Tu voudrais être aussi généreuse que ta maman, Valérie ?

Vivi hocha la tête en s'essuyant les yeux.

— Véronique s'inquiète pour sa petite sœur, papa s'ennuie de maman, et je ne sais pas quoi faire... **Je voudrais leur donner un peu de joie. Comme maman l'aurait fait.**

— Est-ce que je peux t'aider?

— Je ne sais pas. Je suis vraiment nulle dans les cadeaux, fit Vivi avec un pauvre sourire.

— Ce serait plus facile si tu connaissais bien celui à qui tu fais un cadeau. Tu saurais déjà ses goûts. Il ne te resterait qu'à trouver le cadeau qui y correspond. Que disait ta maman, déjà?

Vivi soupira.

— Il faut trouver le cadeau idéal pour chaque personne.

— Voilà. Il faudrait que ce soit le cadeau idéal pour cette personne en particulier. Pas quelque chose dont tout le monde a besoin, comme un savon, **mais quelque chose de spécialement**

pensé pour cette personne-là.
Donne-toi le temps d'y réfléchir. Veux-tu essayer, Valérie?

Elle haussa les épaules.

Mercredi 1er février

Raviolis congelés. Je t'avais prévenu, journal.

YAAAAAAAARK!

Deux jours plus tard, à l'heure du dîner, Vivi écoutait distraitement Véronique se plaindre de la toux incessante de sa petite sœur. Il ne lui restait que trois jours avant de revoir la psy et elle n'avait trouvé ni cadeau idéal ni personne à qui le donner. **Si seulement sa maman était là pour la conseiller!** Son père était toujours tellement fatigué en arrivant du travail...

— Qu'est-ce que tu as? demanda Véronique en voyant son amie se redresser tout à coup.

— **J'ai trouvé mon cadeau!**

— Qu'est-ce que ce sera?

— **Un souper pour mon père!** Il est toujours crevé en revenant du boulot, alors je pourrais préparer le repas et faire la vaisselle.

— **Oh oui!** Ça lui ferait une super belle surprise!

— **C'est vrai, non ?** Je suis certaine qu'il serait content. C'était toujours maman qui cuisinait avant qu'elle tombe malade. **Depuis, on mange rien que des raviolis congelés. Yark !**

— **Tu pourrais servir un spaghetti.** Ce n'est pas compliqué.

– Oh oui ! Bonne idée ! Papa adore le spaghetti ! Ce serait déjà une centaine de millions de fois mieux que des raviolis mous!

— C'est sûr! Quand est-ce que tu vas lui donner son cadeau?

— Lundi. Ça va me donner le temps de trouver la recette de maman et d'acheter les ingrédients qui manquent avec mon argent de poche.

— Super bonne idée! C'est certain qu'après ça, tu n'auras plus besoin de madame Pelletier.

Les filles se tapèrent dans la main.

Chapitre 7

Comment préparer son plan d'attaque

En revenant de l'école, Vivi profita de l'absence de son père pour **chercher la recette de sauce à spaghetti de sa mère dans les livres de cuisine.** Elle feuilleta un livre, puis un autre, en regardant les photos. Finalement, elle en vit un dont le titre était : *Sauces pour les pâtes.* **Ouf!**

Elle fouilla ensuite dans les armoires et le réfrigérateur pour trouver les ingrédients et nota ceux qu'elle devait acheter. Comme Vivi tenait à surprendre son père, **elle ferait ses courses durant son absence.** Autrement, il verrait le bœuf haché dans le réfrigérateur et lui poserait des questions. Il y avait une petite épicerie près de chez elle. Elle pourrait s'y arrêter en revenant de l'école lundi après-midi. Ce serait un peu juste pour le souper, car la sauce devait mijoter longtemps, mais ça irait.

Elle remit le livre de recettes en place, ni vu ni connu. **Elle avait déjà hâte à lundi !** Son père serait tellement étonné de sentir les bonnes odeurs épicées en rentrant du travail ! **Pour une fois, il n'aurait qu'à s'asseoir à table pour déguster un**

délicieux repas ! Ce serait vraiment le cadeau idéal. Même sa maman n'aurait pas mieux choisi...

Le lundi midi, **Vivi agita le bras haut dans les airs pour attirer l'attention** de Véronique à travers la cafétéria bondée. Elle lui avait réservé une place à la table, car son amie était toujours la dernière à quitter son cours d'arts plastiques. C'était sa matière préférée, et elle s'appliquait énormément à chaque projet.

Véronique était presque aussi excitée qu'elle à l'idée du souper-surprise. Elles revirent dans les moindres détails ce qu'elles appelaient désormais « le plan

Spaghetti ». Vivi n'aurait pas une minute à perdre pour que tout soit prêt à temps. **Pour mettre toutes les chances de son côté, elle courrait de l'épicerie jusqu'à la maison.**

Puis, comme elles avaient tout bien prévu, elles éclatèrent de rire et se tapèrent dans la main. **Ce serait super !** Vivi n'avait pas été aussi heureuse depuis bien longtemps.

Chapitre 8

Comment une nouille peut échouer son examen de spaghetti

Mardi 7 février, 7 heures du matin

Cher journal de bord,

Je suis <u>pourrie</u> pour les cadeaux!
Maman était si bonne, comment ça
se fait que je sois si NOUILLE?
Hier, tout avait pourtant si bien
commencé : j'avais déjà trouvé sa recette

de sauce à spaghetti et fait une liste des ingrédients qui manquaient. En revenant de l'école, je suis descendue de l'autobus près de l'épicerie Chez Lyne pour faire mes achats. J'ai couru jusque chez moi avec mes deux sacs. Aussitôt arrivée, j'ai ouvert le livre de recettes. Comme maman en avait l'habitude, j'ai aligné sur le comptoir toutes les épices* : le thym, l'origan, le romarin, le poivre de Cayenne, le clou de girofle, la poudre de chili, les feuilles de laurier et la moutarde sèche. Puis j'ai sorti les conserves et je les ai ouvertes avec un ouvre-boîte : pâte de tomate, sauce tomate et tomates italiennes. Ensuite, j'ai déballé le bœuf haché (900 grammes, précisément pesés par le boucher) et j'ai lavé les légumes dont j'avais besoin : oignon, carottes, champignons, céleri, poivrons rouge et vert. Je sais, je sais : ça fait beaucoup. Et Véronique qui disait que ce ne serait pas difficile ! Mon œil ! La sauce de sa mère doit être pas mal plus simple.

La recette disait : Chauffer l'huile dans une grande casserole. J'ai mis le gros chaudron épais, celui que maman utilisait toujours, sur le grand rond de la cuisinière. J'ai versé l'huile d'olive. Bon, j'en ai répandu un peu à côté et il y en avait plus que deux cuillères à table, mais ça goûte bon de toute façon, alors ce n'est pas grave. J'ai allumé le rond à la bonne intensité.

Ensuite, ça disait : Ajouter l'oignon haché et faire sauter 5 minutes. J'ai commencé à couper l'oignon. LES YEUX SE SONT MIS À ME PIQUER. Je les ai essuyés, mais comme je ne m'étais pas lavé les mains

avant, c'est devenu pire, et là, je pleurais
tellement que je ne voyais plus rien. Je
me suis écorché le bout du doigt avec le
couteau. Ça brûlait si fort, cher journal,
que je me suis mise à pleurer pour de
vrai. J'ai mis mes mains sous l'eau froide ;
ensuite, je suis allée chercher de l'onguent
et un pansement dans la pharmacie de la
salle de bain. Et puis là, j'ai senti une
drôle d'odeur et j'ai couru dans la cuisine.
Le feu était pris dans la casserole !
De grandes flammes jaunes et bleues
montaient vers le ventilateur et
les armoires ! Et puis, ô malheur,

l'huile que j'avais échappée sur la cuisinière s'est enflammée aussi!

La panique totale! Je criais comme une folle! Je me suis approchée pour essayer d'éteindre le feu. Mes cheveux ont fait «Frrritch!». J'AI EU SI PEUR! J'ai reculé trop vite, je me suis cognée dans le frigo. Juste au moment où j'ai enfin pensé que ce serait peut-être une bonne idée d'appeler, genre, les pompiers (Non mais, réveille, Vivi! Réveille!), papa est arrivé. Il a pris l'extincteur au mur et il a vaporisé le produit sur la base des flammes. Une chance, finalement, qu'il est arrivé plus tôt que prévu. Après une ou deux minutes, quand le feu a été éteint, il y avait de la poudre blanche partout : dans le chaudron, sur la cuisinière, sur les comptoirs, sur toutes

les épices, conserves, légumes, etc.,
et même sur nous. Les armoires étaient
noircies par la fumée et il y avait une
odeur épouvantable qui nous faisait tousser
et tousser sans arrêt. Papa s'est dépêché
d'ouvrir les fenêtres pour aérer. Pas besoin
de te dire, cher journal, qu'en plein mois
de février, ON S'EST MIS À GELER
COMME DES RATS en un rien de temps.
Papa s'est tourné vers moi, il m'a prise
dans ses bras et m'a serrée très fort. Puis,
il s'est écarté, et même avec la poudre
blanche de l'extincteur sur ses joues, je
voyais bien que son visage était rouge de

colère. Il m'a engueulée comme du poisson pourri. Il m'a dit que j'étais une idiote, une irresponsable et d'autres trucs que je n'ai pas compris à propos des assurances. J'ai fondu en larmes et je me suis enfermée dans ma chambre. Quand papa m'a appelée deux heures plus tard pour souper, je n'y suis pas allée. J'ai fait semblant de dormir. Ce matin, quand je me suis levée, papa avait tout nettoyé et je me suis sentie encore plus NULLE. Il m'a seulement dit de ne plus jamais recommencer ça, que c'était à lui de préparer les repas et pas à moi. Que j'étais trop jeune.

Maman me manque tellement! C'est comme si j'avais une grosse boule de peine coincée dans la gorge. Aucun mot ne veut sortir et je suis incapable d'avaler quoi que ce soit, pas la moindre petite miette.

Chapitre 9

Comment apprendre
de ses erreurs

Il était 8 h 15 et Véronique attendait son amie avec impatience dans la grande salle de l'école. Elle avait hâte de savoir comment s'était déroulé le souper-surprise. En voyant Vivi, le teint pâle, une mèche de cheveux coupée court et les yeux cernés, Véronique devina **que quelque chose de terrible était survenu.**

— Qu'est-ce qui est arrivé à tes cheveux? **On dirait que tu as un rond en peluche sur le front!**

— Ils ont brûlé, alors je les ai coupés.

— Et le spaghetti?

— **Brûlé, lui aussi.**

D'une voix étouffée par l'émotion, Vivi lui raconta sa mésaventure. Depuis la veille, elle avait du mal à arrêter de pleurer.

Véronique n'en croyait pas ses oreilles. Elle resta un instant sans voix, les mains sur la bouche.

— Ton beau « plan Spaghetti »…

— C'est une « **catastrophe Spaghetti** » !

— **Qu'est-ce que vous avez mangé, d'abord?**

— Comment ça, qu'est-ce qu'on a mangé? Je me suis enfermée dans ma chambre! Je n'aurais rien pu avaler!

— Mais... Et ton cadeau? **Qu'est-ce que tu vas dire à madame Pelletier tantôt?**

Vivi haussa les épaules.

— J'ai beaucoup écrit dans mon journal de bord, j'espère que ça suffira. C'est fini, les cadeaux, pour moi. Ça, c'est sûr. Elle ne me fera pas changer d'avis.

Vivi se rendit au bureau du directeur, mais madame Pelletier n'y était pas. Le « Bizarre » se présenta seul. À cause de son handicap, il marchait curieusement, **comme s'il arrivait de la lune et flottait encore un peu.** Elle serra son journal de bord contre sa poitrine.

— Madame Pelletier a pris du retard et elle s'excuse, dit-il. Elle veut que tu ailles la rejoindre à son bureau.

— OK.

Patrick la regarda un moment. **Ses yeux bruns perdirent leur air morose**✳ **et fuyant.** Ils étaient même sympathiques. Le garçon semblait vouloir ajouter quelque chose, alors Vivi attendit, en regardant n'importe quoi, sauf lui. Elle savait qu'elle avait une mine épouvantable et elle n'avait pas du tout envie que Patrick en remette et se moque d'elle. Finalement, il la salua d'un petit coup de menton et retourna en classe.

Vivi se dirigea d'un pas pesant vers le bureau de la psy. D'un côté, l'idée de devoir revenir sur l'échec total de la veille la décourageait. D'un autre côté, Véronique avait peut-être raison : **cela prouverait à madame Pelletier combien Vivi était nulle en cadeaux.** La psy serait bien obligée d'admettre que le désir de Vivi d'être aussi généreuse que sa mère était ridicule, et leurs rencontres se termineraient là.

En voyant Vivi, madame Pelletier comprit aussitôt que ça n'allait pas du tout. **L'adolescente faisait peine à voir.** Mais au lieu de s'exclamer et de la plaindre comme l'avaient fait quelques filles de la classe, madame Pelletier fit calmement rouler son fauteuil à côté de sa chaise.

— **Raconte-moi ce qui s'est passé, Valérie.**

– C'est écrit dans mon journal.

– C'est très bien, je vais le lire tout à l'heure. Mais pour le moment, je voudrais que tu m'en parles. Prends le temps qu'il te faut.

Avant, les mots ne voulaient pas sortir, **mais là, tout d'un coup, ils ne voulaient faire que ça.** Ils couraient, ils déboulaient, ils trébuchaient les uns sur les autres. Le récit de Vivi n'était pas très clair, et pourtant madame Pelletier avait l'air de tout comprendre. Elle lui tendit une boîte de papiers-mouchoirs pour qu'elle sèche ses larmes. **Vivi était si fatiguée de**

pleurer ! Elle avait l'impression de ne faire que ça depuis que sa maman était tombée malade.

Une fois Vivi un peu calmée, madame Pelletier ouvrit son journal de bord et lut ses derniers commentaires.

— Valérie, je sais que ça va te paraître incroyable, **mais je trouve que tu as fait un travail formidable** cette semaine !

— Hein ? ? ?

Vivi avait la bouche ouverte et les yeux ronds. Comment la psy pouvait-elle dire une chose pareille? **Ne comprenait-elle pas qu'elle avait failli faire brûler la maison?** N'avait-elle pas lu le passage à propos de la poudre d'extincteur répandue partout dans la cuisine? Ne réalisait-elle pas que son père avait eu encore plus de soucis au lieu d'une soirée de congé? **Quel cadeau épouvantable!**

La psy sourit.

— **Faire un cadeau à ton père était une excellente idée.** Tu as remarqué qu'il était fatigué, que l'absence de ta maman lui donnait plus de responsabilités. Tu as trouvé une façon de l'aider et de lui faire plaisir en préparant un bon repas que vous pourriez partager. C'était très bien pensé.

— Mais j'ai failli mettre le feu à la maison !

— Oui, c'est dommage, **mais c'était un accident,** et les accidents, ça arrive, que veux-tu, même aux adultes.

— Je n'aurais jamais dû essayer de faire de la sauce à spaghetti, grommela Vivi.

— **Mmm… Peut-être que la recette de ta maman était trop compliquée** pour une première expérience, surtout que tu devais te dépêcher pour que tout soit prêt à temps. Qu'en penses-tu ?

Vivi hocha la tête.

— **Pourquoi ç'a été de travers d'après toi ?**

Vivi réfléchit un moment.

— Je n'aurais pas dû laisser l'huile chauffer sans la surveiller.

— Je crois que tu as raison. Si tu avais éteint le rond quand tu t'es coupée, tu aurais pu mettre un pansement sur ta blessure, puis retourner continuer ta sauce comme si de rien n'était. Quand on y pense, **c'était une toute petite erreur,** mais elle a eu, malheureusement, de grandes conséquences. Il n'y a qu'une seule façon de ne jamais faire d'erreur : c'est de rester dans son petit coin et de ne rien faire du tout. **Mais qui veut vivre toute une vie dans un petit coin, hein ?**

— Ça n'a plus d'importance : papa ne veut plus que je cuisine.

— Ton papa était très en colère. Je pense aussi qu'il a eu très peur : imagine combien il aurait été triste s'il était arrivé trop tard pour te sauver, lui qui vient juste de perdre sa femme... Laisse-lui un peu de temps, je pense qu'il va finir par changer d'avis. Les raviolis congelés vont l'avoir à l'usure, ajouta madame Pelletier avec un clin d'œil.

— **Je suis tellement fatiguée d'en manger !** soupira Vivi.

— Vous vivez beaucoup de changements tous les deux. Vous allez essayer différentes solutions à vos problèmes. Parfois, ce sera pour le mieux, et d'autres fois, comme hier, ce sera la catastrophe. **À force d'essais et d'erreurs, vous** allez trouver ce qui marche bien pour vous, mais ça va **prendre du temps**, Valérie. Il faut être patiente... Regarde plutôt tout ce que tu as fait de bien : **tu as trouvé une personne qui avait vraiment besoin d'un cadeau** et tu en as choisi un qui lui plairait beaucoup, ton plan était prêt... Tout ça, c'est très bien ! Je serais très contente si tous les élèves que je vois faisaient autant de progrès en si peu de temps ! Moi, je suis très fière de toi.

Les mots de madame Pelletier faisaient du bien à Vivi. **Ils étaient comme un baume* sur son cœur.**

— Je pense que je vais arrêter de faire des cadeaux, dit Vivi. C'est trop difficile.

— **Essaie encore une fois** pour voir, donne-toi une chance. Un cadeau plus facile, tout simple. Demande-toi comment ta maman s'y prendrait, et ça va t'aider.

Vivi eut tout juste le temps d'attraper l'autobus. **Elle avait le cerveau qui bourdonnait, elle se sentait comme un zombie.** Si seulement ses rencontres avec madame Pelletier étaient terminées ! **Mais non !** **Il fallait encore qu'elle trouve un cadeau pour la semaine suivante... Quelle galère !**

Chapitre 10

Comment on peut faire un cadeau sans y perdre des cheveux

Le lendemain matin, Vivi retrouva son amie Véronique dans la grande salle, comme d'habitude, et elle lui raconta sa séance avec la psy.

— Chose certaine, fit Véronique, il va falloir que tu trouves quelqu'un d'autre à qui donner un cadeau. **Ton père n'en voudra pas de sitôt.**

— Je le sais bien. Il ne me parlait pas beaucoup avant : maintenant, c'est **silence radio !** Je l'évite autant que je peux.

— La joie, quoi !

— Tu l'as dit !

— Pourquoi pas ta prof de maths? Tu la trouves tellement gentille...

— D'habitude, oui, mais c'est à cause de madame Marcotte si je vois une psy. **— Oh ! Oui, c'est vrai... Elle pensait bien faire.**

— Elle s'est bien trompée ! Regarde de quoi j'ai l'air! **Il va falloir des mois** avant que mes **cheveux repoussent.** Ah ! Et puis, je n'ai plus envie d'en parler!

Vivi sortit son devoir de maths. Compter l'aidait à oublier ses soucis.

Quand elle faisait des maths, son esprit s'envolait loin de la Terre.

Après un quart d'heure, elle releva la tête.

Véronique avait sorti son cartable. Les yeux mi-clos, elle révisait pour l'examen oral de français qu'elle devait passer à la prochaine période. Elle avait appuyé sa joue dans sa main et paraissait sur le point de s'endormir.

— **Qu'est-ce qui t'arrive ?** Tu n'as pas l'air en forme...

— C'est à cause de ma petite sœur. Cette nuit, c'était pire que tout. Maman venait vérifier toutes les deux heures comment elle allait. **Personne n'a dormi,** on s'est tous levés en retard. Je n'ai pas déjeuné, j'ai juste eu le temps de me faire un sandwich au fromage pour mon lunch. Maman m'a donné des sous pour que je m'achète un yogourt à la cafétéria.

— **Pauvre toi!** Est-ce que ta sœur a vu un médecin? C'est peut-être grave...

— Il lui a prescrit des antibiotiques. Ça devrait aller mieux dans deux jours.

— Je te le souhaite.

— **Sinon, c'est moi qui vais tomber malade!** Comment veux-tu que j'étudie si je ne dors pas?

— **Pauvre toi!** répéta Vivi. Je voudrais pouvoir t'aider.

Après un moment de réflexion, elle fouilla dans sa boîte à lunch.

— Tiens, je te donne mon muffin aux bananes et au chocolat.

— Ce sont mes **muffins préférés !**

— Je le sais. Mon lunch suffirait à gaver un ogre. Depuis la « catastrophe Spaghetti », papa croit que j'ai voulu cuisiner parce que j'avais trop faim. Je n'ai pas eu le courage de lui expliquer la vraie raison. Il trouverait sûrement ça stupide...

— **Tu me le donnes ?** répéta Véronique, des étincelles dans les yeux.

— Oui, oui, prends-le. C'est un cadeau, dit-elle d'une voix lasse. Je...

Vivi s'arrêta et se redressa. Les deux amies se regardèrent, les yeux ronds.

— **Penses-tu ce que je pense?** demanda Véronique.

– Que j'ai fini mon travail de psy?

— **Oui!**

— Oui! **Hourra!**

Elles éclatèrent de rire et se tapèrent dans les mains.

– Si seulement ça pouvait toujours être aussi facile! s'exclama Vivi.

— **Ou aussi bon!** Tu pourrais m'apporter un muffin chaque mercredi, suggéra Véronique, la bouche pleine.

– Bien oui, et madame Pelletier ne se doutera de rien, tu crois? blagua Vivi.

— **En tout cas, ça prouve que ce n'est pas obligé d'être**

compliqué! Il faut que j'y aille. Souhaite-moi bonne chance. On se revoit à la café ce midi?

Vivi hocha la tête. Elle sortit son journal de bord et écrivit:

Mercredi 8 février

Cher journal,

J'ai compris quelque chose aujourd'hui.
Les cadeaux, pour moi, c'était difficile.
Mais donner, ça peut être très simple :
il y a juste à regarder autour de soi, et
parfois, on a exactement ce qu'il faut
sous la main pour rendre une personne
heureuse. J'ai aidé Véro aujourd'hui : sa
petite sœur est malade et ça chamboule
tout à la maison. Je lui ai donné mon
muffin. Par hasard, c'était sa sorte
préférée. De toute façon, ça va l'aider

à se concentrer. Elle ne l'a pas dit, mais je sais que cet examen l'énerve : elle est tellement perfectionniste ! Oh, je sais bien que lui donner ma collation, ce n'est pas grand-chose, c'est vrai, ce n'est pas aussi extraordinaire qu'un souper-surprise au spaghetti, mais c'est l'intention qui compte. Maman disait souvent ça, ça me revient maintenant : c'est l'intention qui compte.

La matinée fila comme l'éclair. Vivi retrouva son amie à la cafétéria. **Véronique était soulagée : son exposé s'était bien passé.** Elles discutaient avec animation de ce que pourrait être le prochain cadeau de Vivi quand Véronique détourna la tête, son attention attirée par quelqu'un qui s'approchait d'elles, dans le dos de son amie.

— **Attention : Stéphanie Côté s'en vient par ici.**

— **Et alors ?** chuchota Vivi. Elle est **beaucoup trop snob** pour nous parler.

Contrairement à la prédiction de l'adolescente, la grande et mince Stéphanie s'arrêta à leur table et examina Véronique de la tête aux pieds, d'un air ennuyé.

— **Salut, Stéphanie,** dit Véronique. **Ça va ?**

La nouvelle venue ne lui répondit même pas. Elle enleva un écouteur de

iPod de son oreille et se tourna vers Vivi. **Elle lui donna une carte d'invitation.**

— C'est ma fête dans deux semaines. Comme ma mère allait souvent magasiner chez Présents passés et futurs, elle dit **que je suis obligée de t'inviter, parce que ta mère est morte, genre.**

Blessée, Vivi eut très envie de lui répondre quelque chose comme : « Oh !

Merci de me le rappeler, je l'avais oublié »,
mais Véronique, en voyant une étincelle
de feu dans ses yeux bleus, lui donna un
coup de pied sous la table. C'était une
très mauvaise idée de se mettre à dos la
fille la plus populaire de l'école.

— **Aïe !** s'exclama Vivi.

— « **Aïe** » ? répéta Stéphanie sans
comprendre.

— Oui, c'est juste que... Je pense
que **c'est l'anniversaire de ma
grand-mère dans deux semaines**,
mentit Vivi, et je ne pourrai peut-être
pas aller à ta fête. **Ce serait quel
jour, exactement ?**

Stéphanie la regarda froidement,
comme si Vivi était complètement idiote

d'hésiter entre son party et celui de sa grand-mère.

— **Samedi. À deux heures.**

Vivi n'avait pas envie de passer tout un après-midi avec Stéphanie et ses amis. Comme elle tardait à répondre, Véronique lui donna un autre coup de pied. Vivi lui lança un regard furieux : sa jambe lui faisait mal, à présent ! Elle était parfaitement capable de prendre sa décision toute seule !

— **Je crois qu'il n'y aura pas de problème.**

— Tous mes amis vont m'apporter un cadeau, mais maman dit que si vous n'avez pas assez d'argent, tu n'es pas obligée. **J'aime bien le dauphin en**

cristal qu'il y a dans la vitrine de la boutique de ta mère. Tu pourrais me donner ça et ce serait correct. **Salut.**

Les deux amies la regardèrent s'éloigner, la mâchoire un peu pendante. **Cette fille était tellement snob!** Elle voulait le maximum de cadeaux, c'est tout! Et les plus chers! Vivi savait exactement de quel bibelot elle parlait: **ce dauphin valait une petite fortune!**

Les deux filles commencèrent à manger leur lunch. Après quelques minutes de réflexion, Véronique demanda:

— **Vas-tu lui donner le dauphin en cristal?**

— Je ne vois pas comment, c'est bien trop cher.

— Si elle s'attend à recevoir ça, elle va être très déçue.

— Je sais.

— **Ce n'est pas une bonne idée de décevoir Stéphanie Côté.**

— Je le sais bien, **voyons**!

Véronique racla le fond de son petit pot de yogourt avec sa cuillère, puis elle le déposa sur la table et croisa les bras.

— **Ton prochain cadeau ne sera pas de la tarte, Vivi.**

— Tu l'as dit!

— Je vais prier pour toi.

Vivi leva les yeux au ciel en secouant la tête. **Quelque chose lui disait** qu'elle aurait besoin de **toute** **l'aide** possible pour ce cadeau-là !

Suivez la prochaine aventure de *Vivi et les cadeaux* dans *Le cas dauphin*.

Lexique

Baume

Soulagement.

Épices

On utilise la feuille séchée du *laurier*, un arbre européen, pour parfumer les sauces. L'*origan*, le *romarin*, et le *thym* sont des herbes dont les feuilles ont beaucoup de goût. La *moutarde* provient de la graine moulue de la plante à fleurs jaunes du même nom ; le Canada en est le plus grand producteur du monde. Le *poivre de Cayenne* est la poudre très piquante obtenue en moulant des piments forts rouges ; les indigènes d'Amérique du Sud nous l'ont fait connaître. La *poudre de chili* est un mélange d'épices (piment fort, paprika, ail, etc.). On fait sécher le bouton de la fleur du giroflier, un arbre d'Asie, pour obtenir le *clou de girofle*.

Équitable

Qui procure un revenu juste et suffisant à ceux qui produisent une marchandise.

Furtivement

Discrètement.

Gaz de schiste

Carburant gazeux émis par la décomposition naturelle de l'argile. Pour qu'on puisse récolter ce gaz, la roche qui l'emprisonne doit être détruite.

Humilité

Qualité de celui qui reconnaît ses limites en toute simplicité.

Interphone

Système de communication à haut-parleur à l'intérieur d'un bâtiment.

Maussade

De mauvaise humeur.

Mentionner

Dire ou noter quelque chose en particulier.

Morose

Qui est d'humeur triste et a peu d'espoir.

LIRE ET RÉFLÉCHIR
QUESTIONS ET EXERCICES PÉDAGOGIQUES

Vivi, treize ans, est très triste : sa mère est morte. Son enseignante s'inquiète de son état et l'envoie voir madame Pelletier, la psychologue de l'école. L'adolescente se rebiffe, mais sa mère lui manque. Vivi aimerait avoir sa nature généreuse. Elle accepte finalement l'aide de madame Pelletier, qui encourage Vivi à faire un cadeau à quelqu'un qu'elle connaît bien. Le souper-surprise qu'elle organise pour son père vire à la catastrophe. Mais Vivi comprendra que donner des cadeaux lui en apprendra autant sur sa mère que sur elle-même.

Objectifs pédagogiques

- Démontrer qu'on a parfois besoin d'aide pour surmonter de grandes épreuves.
- Démystifier le travail du psychologue et les problèmes psychologiques.
- Valoriser l'effort et l'estime de soi.
- Explorer différentes facettes de la générosité et de l'implication sociale.

Étude du texte

1. Qu'est-il arrivé à la mère de Vivi?

   Elle est morte d'un cancer quelques semaines plus tôt.

2. Pourquoi la professeure de maths s'inquiète-t-elle pour Vivi?

   Parce que Vivi est distraite en classe, qu'elle a l'air triste et que ses notes baissent.

3. Quel outil la psychologue suggère-t-elle à Vivi pour l'aider à avoir des pensées plus claires?

   Un journal de bord.

4. Quel est le premier cadeau
   que Vivi offre, et à qui?

   Un pain de savon à sa psychologue.

5. Pourquoi, au début, la psy n'est-elle
   pas satisfaite du travail de Vivi?

   Parce qu'elle parle peu et ne fait pas les exercices demandés.

6. Pourquoi Vivi décide-t-elle de préparer
   un souper pour son père?

   Parce qu'il est fatigué lorsqu'il arrive du travail
   et ne leur sert que des repas congelés.

7. Quelle erreur Vivi a-t-elle commise pour
   que le souper vire à la catastrophe?

   Elle a laissé chauffer l'huile sur la
   cuisinière sans surveillance.

8. Pourquoi Vivi est-elle tellement
   découragée après ce souper?

   Parce qu'elle a failli mettre le feu à la maison et qu'elle
   a donné plus de travail à son père au lieu de l'aider.

9. Pourquoi la psy est-elle au contraire très
   encouragée par les progrès de Vivi?

   Vivi a suivi toutes les étapes: elle a trouvé une
   personne qui avait vraiment besoin d'un cadeau; elle
   a imaginé un cadeau qui lui ferait plaisir, et elle s'est
   donné beaucoup de mal pour préparer le souper.

10. Pourquoi Vivi donne-t-elle son muffin
    à Véronique?

    Véronique n'a pas déjeuné et a de la difficulté à se concentrer.

11. La maman de Vivi disait une phrase pour
    expliquer que la grosseur du cadeau
    importe peu. Quelle est cette phrase?

    C'est l'intention qui compte.

12. Plusieurs personnes aident Vivi à surmonter
    son épreuve : lesquelles, et comment
    s'y prennent-elles?

    Madame Marcotte lui recommande d'aller voir une psy; le père de Vivi insiste pour qu'elle la voie; la psy l'aide à réaliser son épreuve d'être aussi généreuse que sa maman; son amie Véronique l'encourage.

Et toi?

1. As-tu déjà vécu de grandes épreuves?
   Lesquelles?
2. Sur qui peux-tu compter quand tu as
   de la peine?
3. Nomme un cadeau que tu as reçu qui
   t'a vraiment plu, et dis pourquoi.

4. Selon toi, une psychologue peut-elle aider les gens qui vivent des moments difficiles?

5. Comment décides-tu quel cadeau tu vas offrir, à Noël, par exemple?

6. T'arrive-t-il de faire de bonnes actions pour rendre les autres heureux? Lesquelles?

7. Si, comme Véronique, tu avais une amie qui a de la peine, que ferais-tu pour l'aider?

Activités proposées

- Trouve une recette que tu pourrais facilement (!!!) réaliser à l'occasion d'un souper-surprise.
- Dessine le portrait de madame Pelletier, la psychologue.
- Imagine un cadeau que tu pourrais faire sans qu'il t'en coûte un sou.
- Regarde autour de toi et rends service à au moins une personne aujourd'hui. Fais-la sourire!

Biographie de Paule Corriveau

Née à Québec, Paule Corriveau est la cadette d'une famille de quatre enfants. Déjà, petite, elle aimait écrire des histoires et présenter de courtes pièces de théâtre dans le sous-sol de la maison familiale.

Depuis quelques années, elle a fait de l'écriture son métier. Elle apprend tous les jours à mieux raconter les sujets qui la touchent: grandir, aimer, faire des choix, découvrir en soi des ressources insoupçonnées.

Elle se passionne pour les sciences, qui lui permettent de mieux comprendre le monde qui l'entoure. Son jardin de fleurs est son coin de paradis. Elle aime les oiseaux et les chats. Ses chats aiment aussi les oiseaux, surtout crus. Sa chatte Domino exige de se faire gratter aux moments les plus inappropriés. (Quoi? Non! Pas maintenant, Domino! Bon, juste une gratouille et ensuite il faut absolument... Bon, d'accord, deux...)

Où en étions-nous? Ah oui! L'amoureux de Paule a le grand mérite de comprendre son sens de l'humour. Ils ont deux grands garçons, et elle espère qu'ils suivront leurs rêves et rendront le monde meilleur à leur façon.

Biographie de Tiago Americo

Tiago Americo est un illustrateur brésilien établi à Montréal depuis 2012. Il travaille chez lui, face à une grande fenêtre offrant une belle vue sur la nature. Ce qu'il aime le plus (à part les dessins), c'est voyager partout dans le monde, passer de longs hivers avec son épouse et jouer avec ses chiens! Il a déjà illustré des livres pour des maisons d'édition en France, en Angleterre, au Brésil et au Canada.